À mes parents

GARANTIE DE L'ÉDITEUR
Malgré tous les soins apportés à sa fabrication, il est malheureusement possible
que cet ouvrage comporte un défaut d'impression ou de façonnage. Dans ce cas, il vous sera échangé
sans frais. Veuillez à cet effet le rapporter au libraire qui vous l'a vendu ou nous écrire à l'adresse
ci-dessous en nous précisant la nature du défaut constaté.
Dans l'un ou l'autre cas, il sera immédiatement fait droit à votre réclamation.
Librairie Gründ - 60, rue Mazarine - 75006 Paris.

Adaptation française de Monique Souchon
Texte original de Martin Handford
Secrétariat d'édition de Justine de Lagausie
Nouvelle édition française 1998 par Librairie Gründ, Paris
Première édition française 1988 par Librairie Gründ, Paris
© 1988 et 1998 Librairie Gründ pour l'édition française
ISBN : 2-7000-4125-9
Dépôt légal : mars 1998

Édition originale 1988 par Walker Books Ltd sous le titre *Where's Wally Now?*
Nouvelle édition originale 1997 par Walker Books Ltd sous le titre *Where's Wally Now?*
© 1988, 1994, 1997 Martin Handford pour le texte et les illustrations

PAO : Liani Copyright, Paris
Imprimé en Chine
Loi n° 49-956 du 16 juillet 1949 sur les publications destinées à la jeunesse

CHARLIE REMONTE LE TEMPS

MARTIN HANDFORD

GRÜND

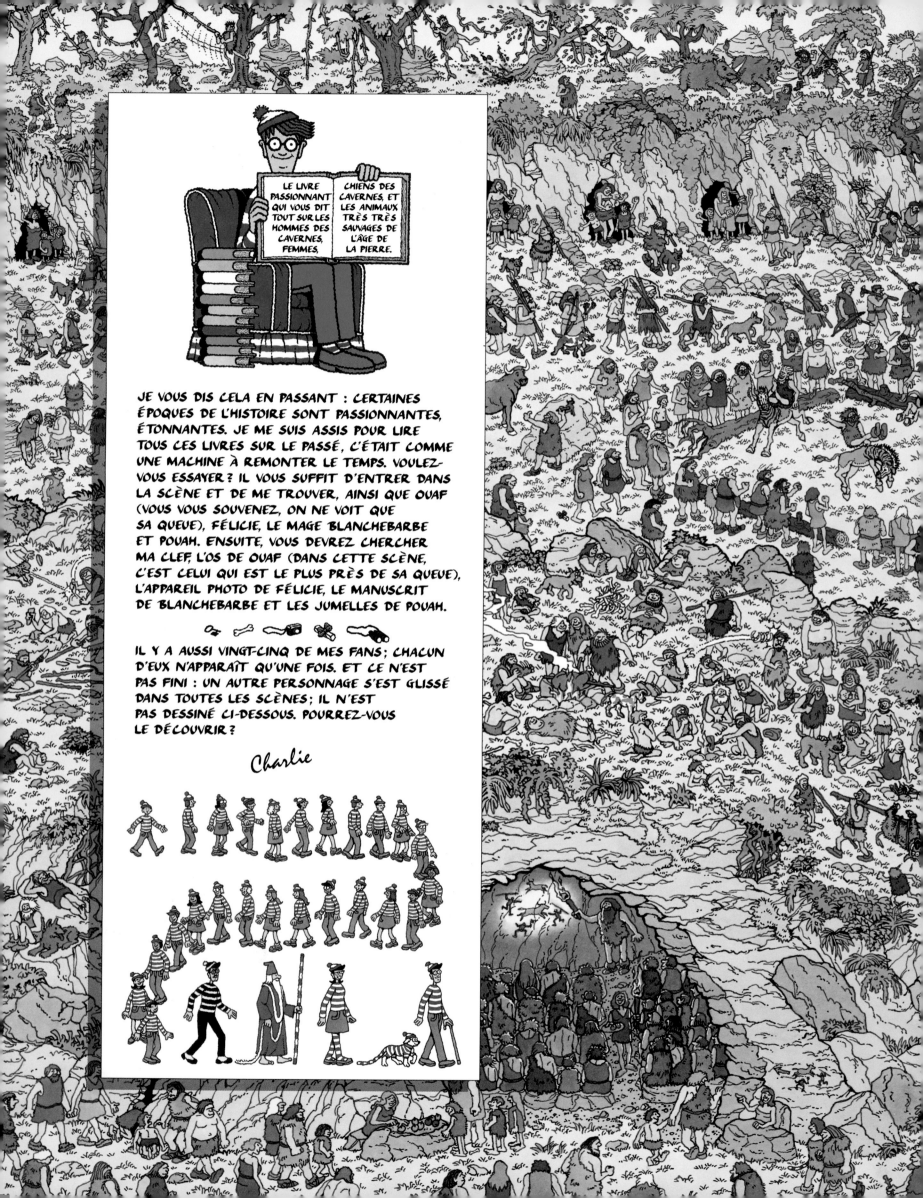

LE LIVRE PASSIONNANT QUI VOUS DIT TOUT SUR LES HOMMES DES CAVERNES, FEMMES, CHIENS DES CAVERNES, ET LES ANIMAUX TRÈS TRÈS SAUVAGES DE L'ÂGE DE LA PIERRE.

JE VOUS DIS CELA EN PASSANT : CERTAINES ÉPOQUES DE L'HISTOIRE SONT PASSIONNANTES, ÉTONNANTES. JE ME SUIS ASSIS POUR LIRE TOUS CES LIVRES SUR LE PASSÉ, C'ÉTAIT COMME UNE MACHINE À REMONTER LE TEMPS. VOULEZ-VOUS ESSAYER ? IL VOUS SUFFIT D'ENTRER DANS LA SCÈNE ET DE ME TROUVER, AINSI QUE OUAF (VOUS VOUS SOUVENEZ, ON NE VOIT QUE SA QUEUE), FÉLICIE, LE MAGE BLANCHEBARBE ET POUAH. ENSUITE, VOUS DEVREZ CHERCHER MA CLEF, L'OS DE OUAF (DANS CETTE SCÈNE, C'EST CELUI QUI EST LE PLUS PRÈS DE SA QUEUE), L'APPAREIL PHOTO DE FÉLICIE, LE MANUSCRIT DE BLANCHEBARBE ET LES JUMELLES DE POUAH.

IL Y A AUSSI VINGT-CINQ DE MES FANS ; CHACUN D'EUX N'APPARAÎT QU'UNE FOIS. ET CE N'EST PAS FINI : UN AUTRE PERSONNAGE S'EST GLISSÉ DANS TOUTES LES SCÈNES ; IL N'EST PAS DESSINÉ CI-DESSOUS. POURREZ-VOUS LE DÉCOUVRIR ?

Charlie

IL Y A 2000 ANS

LES JOIES DV CIRQVE DANS LA ROME ANTIQVE.

LES ROMAINS ÉTAIENT DES GUERRIERS ET DES CONQUÉRANTS. ILS CONSTRUISAIENT DES ROUTES ET APPRENAIENT LE LATIN. EN FIN DE SEMAINE, ILS ASSISTAIENT AUX JEUX DU CIRQUE, AU COLISÉE. CE PEUPLE DÉLICAT Y COMBATTAIT FURIEU-SEMENT, Y DONNAIT LES CHRÉ-TIENS À MANGER AUX LIONS ET DISPUTAIT DES COURSES DE CHARS. DANS LES COMBATS, LA VIE DES GLADIATEURS ÉTAIT SUSPEN-DUE AUX POUCES DES SPECTA-TEURS : LE POUCE EN BAS, ILS ÉTAIENT EXÉCUTÉS; LE POUCE EN L'AIR, ILS AVAIENT LA VIE SAUVE... JUSQU'À LA FOIS SUIVANTE !

IL Y A 600 ANS

Le samedi matin au Moyen Âge

LE MOYEN ÂGE ÉTAIT UNE ÉPOQUE TRÈS GAIE, PARTICULIÈREMENT LE SAMEDI, AUSSI LONGTEMPS QUE L'ON AVAIT PAS AFFAIRE À LA LOI. LES HOMMES PORTAIENT DES TUNIQUES COURTES ET D'ÉTROITS HAUTS-DE-CHAUSSES. ILS ÉTAIENT D'UN NATUREL JOUEUR : JOUTES ET TOURNOIS SE SUCCÉDAIENT SANS FIN. TOUTEFOIS, DÈS QUE VOUS VOUS ATTIRIEZ DES ENNUIS, L'ÉPOQUE DEVENAIT FRANCHEMENT DÉSAGRÉABLE, ET CEUX QUI ÉTAIENT EXPOSÉS AU PILORI OU ATTENDAIENT D'ÊTRE PENDUS TROUVAIENT QU'IL N'Y AVAIT PAS DE QUOI RIRE LE SAMEDI MATIN.

IL Y A 400 ANS

LE ROUGE VAUT-IL MIEUX QUE LE BLEU ? COMMENT ? VOTRE POÈME SUR LES CERISIERS EN FLEUR SERAIT PLUS BEAU QUE LE MIEN ? SUR CES DÉLICATES QUESTIONS, LES JAPONAIS S'ENTRETUÈRENT PENDANT DES SIÈCLES. LES SAMOURAÏS PORTAIENT UNE ARMURE ET LEUR DRAPEAU DANS LE DOS. LES SIMPLES SOLDATS S'APPELAIENT LES ASHIGARU. VIVANT DE PILLAGES ET DE BRIGANDAGE, ILS N'AVAIENT MALHEUREUSEMENT AUCUN SENS DE L'HUMOUR, PAS PLUS D'AILLEURS QUE LES SAMOURAÏS.

JADIS AU JAPON

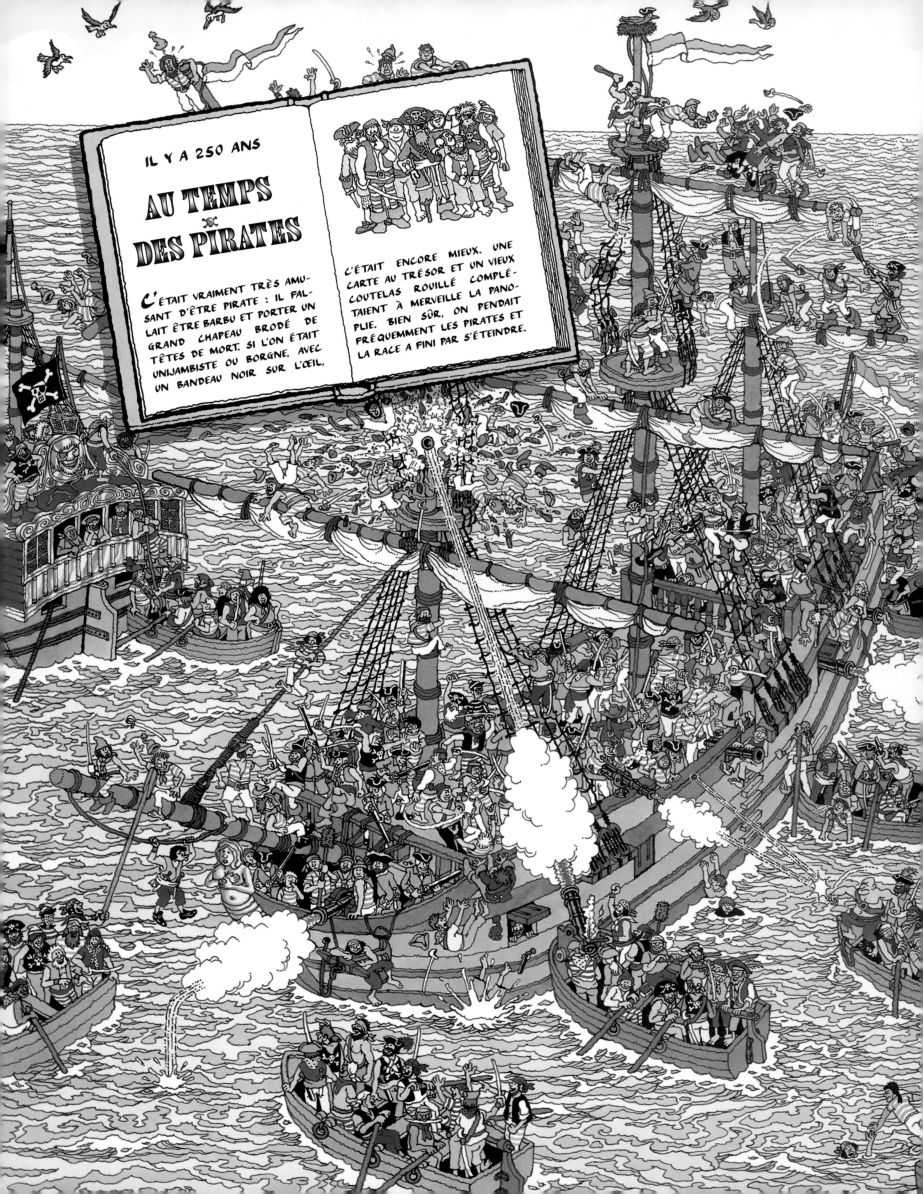

IL Y A 250 ANS

AU TEMPS ✠ DES PIRATES

C'ÉTAIT VRAIMENT TRÈS AMU-SANT D'ÊTRE PIRATE : IL FAL-LAIT ÊTRE BARBU ET PORTER UN GRAND CHAPEAU BRODÉ DE TÊTES DE MORT. SI L'ON ÉTAIT UNIJAMBISTE OU BORGNE, AVEC UN BANDEAU NOIR SUR L'ŒIL,

C'ÉTAIT ENCORE MIEUX. UNE CARTE AU TRÉSOR ET UN VIEUX COUTELAS ROUILLÉ COMPLÉ-TAIENT À MERVEILLE LA PANO-PLIE. BIEN SÛR, ON PENDAIT FRÉQUEMMENT LES PIRATES ET LA RACE A FINI PAR S'ÉTEINDRE.

IL Y A PLUS DE 100 ANS

GRAND BAL
À L'OPERA

L'HISTOIRE DE FRANCE CONNAÎT DE CURIEUX RACCOURCIS, COMME CEUX PROVOQUÉS PAR LA GUILLOTINE PENDANT LA RÉVOLUTION, ET DES DÉTOURS BIEN SINGULIERS COMME LES ROBES À CRINOLINE. EN 1870, NAPOLÉON,

TROISIÈME DU NOM, ORGANISA UN GRAND BAL À PARIS POUR SE CHANGER LES IDÉES. LES INVITÉS DANSÈRENT TOUTE LA NUIT SUR UN AIR QUI ALLAIT BIENTÔT DEVENIR À LA MODE : LA TROISIÈME RÉPUBLIQUE.

IL Y A 100 ANS

LA RUÉE VERS L'OR

À LA FIN DU XIXᵉ SIÈCLE, DES MILLIERS D'AMÉRICAINS EXCITÉS SE RUAIENT COMME DES FOUS VERS DES TROUS CREUSÉS DANS LE SOL, AVEC L'ESPOIR D'Y DÉCOUVRIR DE L'OR. EN RÉALITÉ, LA PLUPART N'ONT MÊME PAS RÉUSSI À TROUVER CES FAMEUX TROUS, MAIS ILS MENAIENT AU MOINS UNE VIE SAINE, PLEINE D'EXERCICE, BALAYÉE PAR L'AIR PUR ET VIVIFIANT DU DÉSERT. ET LA SANTÉ VAUT BIEN TOUT L'OR DU MONDE, NON ?

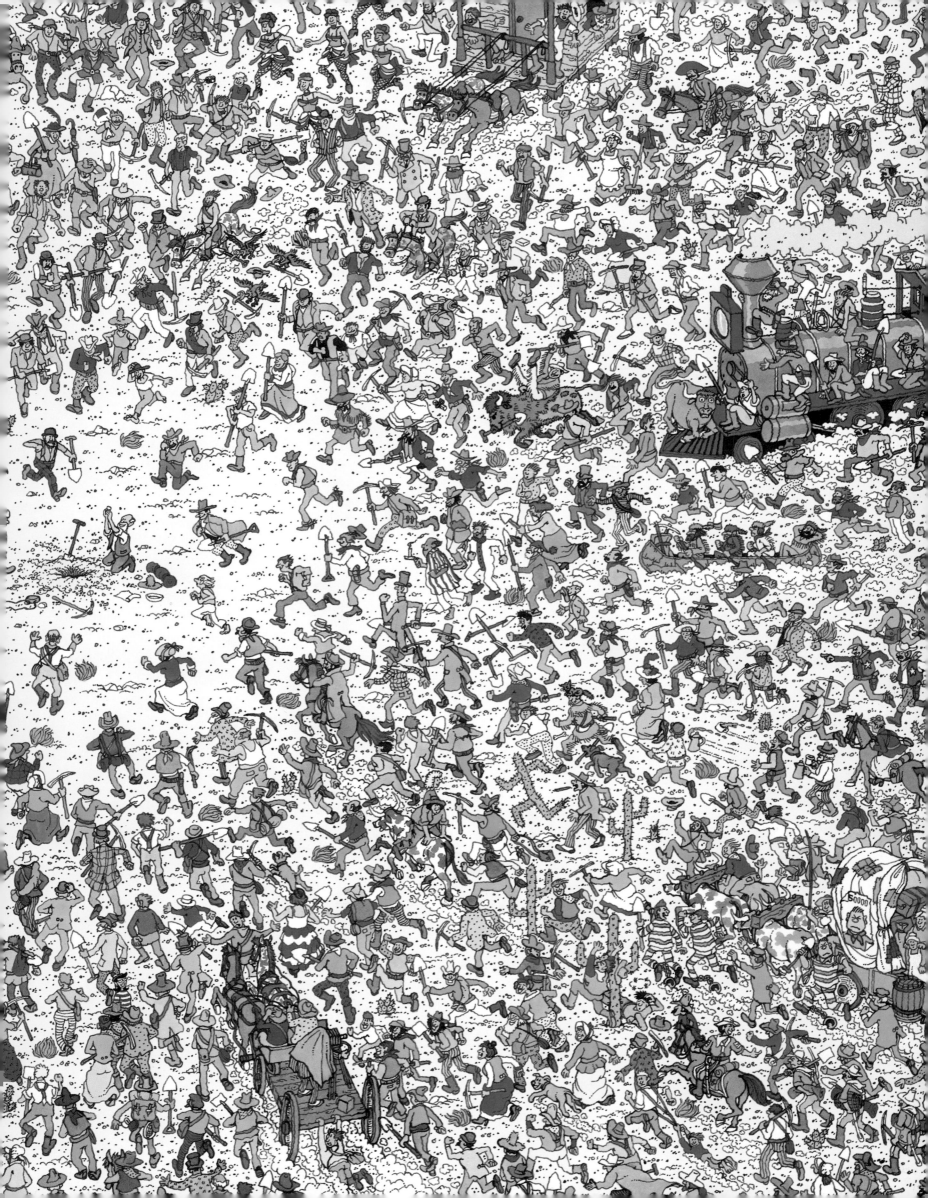

CHARLIE REMONTE LE TEMPS

Encore une foule de choses à trouver et de gags pour les fans de Charlie

L'ÂGE DE LA PIERRE

- Quatre hommes qui se balancent dangereusement
- Un accident avec une hache
- Une grande invention
- Un rodéo de l'âge de la pierre
- Des sangliers chassant l'homme
- Des hommes chassant le sanglier
- Un homme des cavernes romantique
- Un mammouth-arroseur
- Un homme qui a trop mangé
- Un piège à ours
- Un mammouth dans la rivière
- Un étal de fruits
- Une charge de rhinocéros
- Un tigre à la queue efficace
- Une trompe qui tient un tronc
- Une partie de massue
- Le cinéma de l'âge des cavernes
- Un sanglier sens dessus dessous
- Un chien trop gâté
- Une leçon sur les dinosaures
- Un jet d'os
- Une dangereuse pêche à l'épieu

L'ÉNIGME DES PYRAMIDES

- Une pyramide à l'envers
- Un sarcophage tête en bas
- Des dieux qui posent pour leur portrait
- Deux mains qui dépassent
- Deux pieds qui dépassent
- Un homme gros et son portrait
- Dix-sept hommes qui tirent la langue
- Des pierres qui défient la pesanteur
- Des vandales égyptiens
- Des graffitis égyptiens
- Un homme cachant ses balayures sous une pyramide
- Un sphinx assoiffé
- Un bloc de pierre qui s'échappe
- Un léopard affectueux
- Un coup de trompe énergique
- Un bas-relief qui tire une flèche
- Un porteur d'eau inattentif
- Un bain de soleil qui va mal se terminer
- Une séance de traite désordonnée
- Une momie et son bébé
- Des pyramides de sable

LES JOIES DU CIRQUE...

- Un conducteur de char sans char
- Les nettoyeurs du cirque
- Un combat inégal
- Un gagnant qui va perdre
- Un lion qui sait se tenir à table
- Un essieu meurtrier
- Des lionceaux qu'on taquine
- Quatre boucliers à l'image de ceux qui les portent
- Une pyramide de lions
- Des lions qui mettent le pouce en bas
- Un léopard qui chasse une peau de léopard
- Un empereur qui va avoir des ennuis
- Un musicien épouvantable
- Un soulèvement à coups de fourche
- Un cheval qui tient les rennes
- Un léopard amoureux
- Un comptable romain
- Un gladiateur qui perd ses sandales

LA TERREUR VIKING

- Une figure de proue euphorique
- Deux figures de proue amoureuses
- Un homme qui sert de massue
- Un mouton qui pleure
- Deux mauvaises cachettes
- Des Vikings à l'âme d'enfant
- Une femme pleine d'énergie
- Un aigle qui joue à être un casque
- Un marin qui déchire une voile
- Un Viking fortement armé
- Un coup d'épée malencontreux
- Trois lances décapitées
- Quelqu'un qui a eu le feu au derrière
- Un bateau courbe
- Une figure de proue effrayée
- Des cornes emmêlées
- Un casque orné d'une toile d'araignée
- Une fumée en forme de casque
- Une course de taureaux imprévue

LA FIN DES CROISADES

- Un chat sur une catapulte
- Un homme sur une catapulte
- Un homme qui fait le pont
- Une clef hors de portée
- Une hache mal emmanchée
- Un chaudron d'huile bouillante
- Un bélier
- Des croisés qui ont du mal à respirer
- Le produit d'une lessive
- Deux catapultes catastrophiques
- Une catapulte mal dirigée
- Trois serpents
- Un croisé qui fait la sieste
- Deux croisés qui se font bronzer
- Des croisés aplatis
- Un harem à l'avenir compromis
- Un croisé qui casse une échelle
- Un assiégé qui a le bras long

LE SAMEDI MATIN AU MOYEN ÂGE

- Une cascade peu ragoûtante
- Des archers qui manquent la cible
- Un chevalier assis à l'envers
- Un chien qui chasse un chat qui chasse des oiseaux
- Un longue file de pickpockets
- Un chevalier qui manque d'entraînement
- Un homme qui fait danser un ours
- Un ours qui fait danser un homme
- Un bourreau serviable
- Des voleurs de fruits et de légumes
- Des tonneaux à l'avenir trop certain
- Un jongleur habile
- Un très grand coup à boire
- Une bête lourdement chargée
- Deux moines gais
- Un mendiant bien poli
- Un poisson en colère
- Une torture chatouillante
- Des ménestrels qui chantent mal